QUEM MEXEU NO MEU QUEIJO?

Obras do autor publicadas pela Editora Record

Como sair do labirinto
O gerente-minuto com Kenneth Blanchard
Liderança e o gerente-minuto com Kenneth Blanchard
O vendedor-minuto com Larry Wilson
O professor-minuto com Constance Johnson
A mãe-minuto
O pai-minuto
Um minuto para mim
O presente precioso
O presente
Quem mexeu no meu queijo?
Quem mexeu no meu queijo? Para crianças
Quem mexeu no meu queijo? Para jovens
Sim ou não
O vendedor-minuto

Spencer Johnson, M.D.

QUEM MEXEU NO MEU QUEIJO?
Para Jovens

Tradução de
ALVES CALADO

20ª edição

RIO DE JANEIRO • SÃO PAULO
2024

CIP-BRASIL. CATALOGAÇÃO-NA-FONTE
SINDICATO NACIONAL DOS EDITORES DE LIVROS, RJ.

J67q
20ª ed.

Johnson, Spencer, 1938-
    Quem mexeu no meu Queijo? Para jovens / Spencer Johnson; tradução de Alves Calado. – 20ª ed. – Rio de Janeiro: Record, 2024.
94p.:

Tradução de: Who moved my Cheese? for teens
ISBN 978-85-01-06746-3

1. Mudança (Psicologia) – Literatura infanto-juvenil. 2. Adolescentes – Conduta – Literatura infanto-juvenil. 3. Mudança (Psicologia). 4. Conduta. I. Título.

03-1819

CDD: 155.24
CDU: 159.947.2

Título original norte-americano:
Who moved my Cheese? For Teens

Copyright © 2002 by Spencer Johnson, M.D.
Ilustrações: F. Miller
Publicado mediante acordo com G. P. Putnam's Sons,
uma divisão de Penguin Young Readers Group, do Penguin Group (USA) Inc.

Todos os direitos reservados. Proibida a reprodução, no todo ou em parte, através de quaisquer meios.

Direitos exclusivos de publicação em língua portuguesa para o Brasil adquiridos pela
EDITORA RECORD LTDA.
Rua Argentina, 171 – Rio de Janeiro, RJ – 20921-380 – Tel.: (21) 2585-2000
que se reserva a propriedade literária desta tradução.

Impresso no Brasil

ISBN 978-85-01-06746-3

Seja um leitor preferencial Record
Cadastre-se no site www.record.com.br
e receba informações sobre nossos
lançamentos e nossas promoções

Atendimento e venda direta ao leitor
sac@record.com.br

EDITORA AFILIADA

Dedicado aos nossos filhos —
Emerson, Christian e Austin

*Os melhores planos de
ratos e homens
costumam dar errado*

Robert Burns
1759-1796

*A vida não é um corredor reto e tranqüilo
que percorremos livres e sem empecilhos, mas
um labirinto de passagens, pelas quais devemos
procurar o caminho, perdidos e confusos,
de vez em quando presos em um
beco sem saída.*

*Porém, se tivermos fé, uma porta sempre será
aberta para nós, talvez não aquela em que
teríamos pensado, mas aquela que,
definitivamente, irá se revelar
boa para nós.*

A. J. Cronin

Quem mexeu no meu queijo? *para jovens*

Sumário

Nota do autor	11
Partes de todos nós	13
Uma reunião: Escola Secundária Municipal, hora do lanche	15
A história de *Quem mexeu no meu queijo?*	23

Quatro personagens
Achando queijo
Não há queijo!
Os ratos: Sniff e Scurry
Os homenzinhos: Hem e Haw
Enquanto isso, de volta ao labirinto
Superando o medo
Sentindo o gosto da aventura
Saindo do lugar, assim como o queijo
Os escritos na parede
Saboreando o Queijo Novo
Curtindo a mudança!

Um debate: depois do lanche	73
Nota da editora	93

Nota do autor

Em todo o mundo muitas pessoas que leram a edição original de *Quem mexeu no meu queijo?* dizem que gostariam de ter conhecido "A história do queijo" quando eram mais jovens. Percebem que isso teria tornado tudo mais fácil para elas.

Na adolescência é provável que você enfrente mais mudanças na vida do que seus pais ou seus avós enfrentaram. Não seria fantástico se *você* soubesse como lidar com a mudança mais cedo na vida — e vencesse?

Na história que se segue você pode descobrir como ver as mudanças chegando antes da maioria das pessoas, como não se levar muito a sério e como se adaptar rapidamente — *Sair do lugar, assim como o Queijo!* — para fazer com que qualquer mudança atue a seu favor.

Independentemente da situação em que você se encontre, espero que use o que descobrir na história para encontrar seu próprio "Queijo Novo" — qualquer coisa que seja importante para você — e aproveitá-lo!

Spencer Johnson

Partes de todos nós

Os quatro personagens imaginários descritos nesta história — os ratos Sniff e Scurry e os homenzinhos Hem e Haw — têm a intenção de representar as partes simples e complexas de nós mesmos, independentemente de nossa idade, sexo, raça ou nacionalidade.

Algumas vezes podemos agir como

Sniff
Que fareja a mudança logo,

ou

Scurry
Que entra em ação num instante,

Hem
ou Que rejeita a mudança e resiste a ela, com medo de que o leve a alguma coisa pior,

Haw
ou Que aprende a se adaptar a tempo, quando vê que a mudança pode levar a uma coisa *melhor!*

Quaisquer que sejam as partes de nós que escolhemos utilizar, todos temos algo em comum: a necessidade de encontrar nosso caminho no labirinto e ter sucesso em tempos de mudança.

Uma Reunião

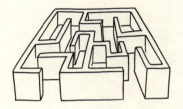

Uma reunião
Escola Secundária Municipal
Hora do lanche

A campainha tocou e sete amigos correram de suas várias salas de aula para a lanchonete, encontrando-se na mesa em que sempre comiam juntos. Todos tinham acabado de ouvir a notícia sobre a grande mudança que ia acontecer na escola, e queriam falar sobre isso.

Chris e Melanie chegaram primeiro.

— O que você acha? — perguntou Chris. Melanie simplesmente revirou os olhos.

Peter, Kerry, Ana, Carl e Josh chegaram logo depois, com a mesma pergunta. O diretor tinha acabado de anunciar uma grande mudança na programação da escola. Agora eles teriam um currículo de três semestres, por causa do excesso de alunos.

— Acho essa mudança horrível — exclamou Ana, jogando a mochila no chão. — Eu gostava da programação anterior. Por que as coisas têm de mudar agora?

— É, isso é uma loucura — concordou Peter. — Agora alguns de nós vão ter de trocar de professores.

— E daí? — perguntou Chris.

Josh resmungou:

— Logo quando a gente saca como as coisas funcionam, eles mudam as regras! É típico.

— Qual é, pessoal? — insistiu Chris. — Quem sabe, talvez as coisas melhorem. A escola está apinhada demais, isso pode ajudar.

— Eu não estou nem aí — disse Carl, que tinha sido reprovado em três matérias no ano anterior e estava repetindo de série. — Eu não quero mudar.

Kerry começou a rir.

— Então você seria contra, mesmo se isso melhorasse as coisas?

Carl não riu.

— Nada nunca fica melhor nessa escola — falou com firmeza.

Melanie olhou para ele.

— Como você pode ter tanta certeza? A gente ainda nem tentou.

— Eu já tive mudanças suficientes na vida — interrompeu Josh. — E não quero mais.

Todo mundo na mesa sabia o que Josh queria dizer. Seu pai tinha ido embora quando ele era pequeno, e Josh nunca superou a perda. Tinha uma raiva silenciosa de todas as mudanças que aconteceram na sua vida depois disso.

— Era exatamente disso que eu precisava — disse Carl, afundando no banco. — Com a sorte que eu tenho, vou ter de vir à escola no período do verão.

Chris riu e balançou a cabeça.

— Você acha isso engraçado? — perguntou Josh, fazendo uma careta.

— Não estou rindo de você — respondeu Chris. — Estou rindo de mim. Ouvindo vocês, lembro de como eu era igual.

— Ah, e agora não é? — contra-atacou Josh.

Kerry olhou para Chris, cheia de suspeitas.

— Você é o único que não parece chateado com a nova programação. Você sabe de alguma coisa que a gente não sabe?

— É — disse Melanie, olhando para o amigo. — O que é que tá rolando? Ultimamente você parece o próprio Sr. Feliz. Está apaixonado?

— Não é isso — disse Chris. — Acho que as coisas mudaram para mim desde que meu tio contou uma história que ele ouviu no trabalho. A história fez com que eu risse de mim mesmo e olhasse para as coisas de um modo diferente.

— E qual é a história? — perguntou Melanie.

— Ela se chama *Quem mexeu no meu queijo?*.

O grupo riu.

— Título estranho — disse Kerry. — Acho que vou gostar. Como é?

— É sobre quatro personagens que correm por um labirinto procurando Queijo. O Queijo significa qualquer coisa que seja importante, como entrar num time, arranjar namorado ou namorada, entrar na faculdade ou terminar a escola e arranjar um emprego para ser livre e independente. Qualquer coisa. O labirinto é o lugar onde você procura essa coisa, como uma escola, por exemplo.

— Esse queijo é daqueles fedidos — zombou Josh. Todos riram.

Carl olhou o relógio.

— A gente tem tempo para isso?

— Eu quero ouvir — disse Melanie.

— Certo. Vou tentar contar como meu tio me contou. A história não demora muito — propôs Chris. — Se eu começar agora, acabo no fim do lanche.

— Certo — concordou Josh. — Você fala, a gente come. Mas é melhor que seja boa — acrescentou, mordendo seu sanduíche.

— A história só é boa se você quiser — disse Chris. — Tudo depende do que você estiver a fim de aprender com ela.

E acrescentou:

— Enquanto ouvem a história, vocês podem se perguntar: o que é o meu Queijo, e quem eu sou na história?

Então ele começou...

A história de
Quem mexeu no meu queijo?

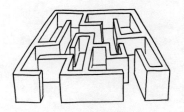

A história

HÁ MUITO tempo, numa terra distante, viviam quatro pequenos personagens que corriam através de um labirinto procurando queijo que os alimentasse e deixasse felizes.

Dois eram ratos chamados Sniff e Scurry, e dois eram homenzinhos — seres pequenos como os ratos mas que se pareciam um bocado com as pessoas e agiam como elas. Os nomes deles eram Hem e Haw.

Por causa do tamanho pequeno, seria fácil não notar o que os quatro estavam fazendo. Mas se se olhasse bem de perto, podia descobrir as coisas mais incríveis!

Todo dia os ratos e os homenzinhos passavam um tempo no labirinto procurando seu próprio queijo especial.

Os ratos Sniff e Scurry, que possuíam cérebros simples e bons instintos, procuravam o queijo duro de roer de que gostavam, como os ratos costumam fazer.

Os dois homenzinhos, Hem e Haw, usavam seus cérebros complexos, cheios de muitas crenças e emoções, para procurar um tipo muito diferente de Queijo — com Q maiúsculo — que eles acreditavam iria torná-los felizes e bem-sucedidos.

Por mais diferentes que fossem, os ratos e os homenzinhos tinham uma coisa em comum: todas as manhãs cada um punha suas roupas de correr e calçavam tênis, deixavam suas casinhas e partiam para o labirinto procurando seu queijo predileto.

O labirinto era um emaranhado de corredores e salas, algumas contendo queijos deliciosos. Mas também havia cantos escuros e becos sem saída. Era um lugar onde qualquer um poderia se perder facilmente.

Mas para os que achavam o caminho, o labirinto tinha segredos que levavam a uma vida melhor.

Os ratos Sniff e Scurry usavam o método simples de tentativa e erro para achar os queijos. Disparavam por um corredor e, se ele estivesse vazio, faziam a volta e corriam por outro. Eles se lembravam dos corredores que não tinham queijo e rapidamente iam para áreas novas.

Sniff farejava a direção do queijo, usando seu grande focinho, e Scurry corria em frente. Eles se perdiam, como se poderia esperar, iam na direção errada e freqüentemente davam trombadas nas paredes. Mas depois de um tempo achavam o caminho.

Como os ratos, os dois homenzinhos, Hem e Haw, também usavam sua capacidade de pensar e aprender com a experiência. Mas contavam com seus cérebros complexos para desenvolver métodos mais sofisticados de achar Queijo.

Algumas vezes se davam bem, mas em outras suas fortes crenças e emoções humanas tomavam conta e confundiam o modo como viam as coisas. Isso tornava a vida no labirinto mais complicada e desafiadora.

Mesmo assim Sniff, Scurry, Hem e Haw descobriram, ao seu modo, o que estavam procurando. Cada um achou seu queijo um dia, no fim de um dos corredores, no Posto de Queijo Q.

Depois disso, todas as manhãs os ratos e os homenzinhos vestiam as roupas de correr e iam direto para o Posto de Queijo Q. Não demorou muito até que cada um estabelecesse sua rotina.

Quando chegavam ao destino, os camundongos tiravam os tênis, amarravam o cadarço de um pé no outro e penduravam no pescoço — para poder calçar rapidamente sempre que precisassem deles de novo. Depois comiam o queijo.

No início Hem e Haw também corriam para o Posto Q todas as manhãs, para aproveitar as saborosas guloseimas que os esperavam.

Mas depois de um tempo os homenzinhos estabeleceram uma rotina diferente.

A cada dia Hem e Haw acordavam um pouco mais tarde, vestiam-se um pouco mais devagar e andavam até o Posto Q. Afinal de contas, agora sabiam onde o Queijo estava e como chegar lá.

Não tinham idéia de onde o queijo vinha, ou quem o colocava ali. Só presumiam que estaria no lugar de sempre.

Assim que Hem e Haw chegavam ao Posto, a cada manhã, acomodavam-se e ficavam à vontade. Penduravam as roupas de correr, tiravam os tênis e calçavam chinelos. Estavam bem mais tranqüilos agora que tinham achado o Queijo.

— Isso é fantástico — dizia Hem. — Há Queijo bastante para a gente comer a vida toda. — Os homenzinhos se sentiam felizes e bem-sucedidos, e achavam que agora estavam em segurança.

Não demorou muito até que Hem e Haw passassem a considerar o Queijo que achavam no Posto Q como o *seu* queijo. Era um estoque tão grande de Queijo, que eles acabaram se mudando para mais perto, e criaram uma vida social ao redor.

Para se sentir mais em casa, Hem e Haw decoraram as paredes com frases. Uma delas dizia:

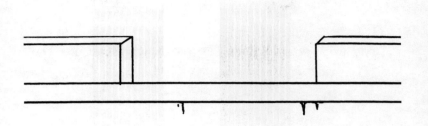

Ter Queijo deixa a gente feliz.

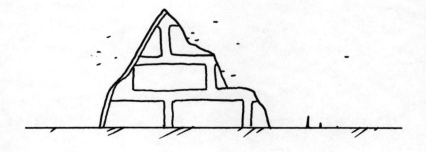

Algumas vezes Hem e Haw levavam os amigos para ver sua pilha de Queijo no Posto Q, e apontavam com orgulho, dizendo:

— É um queijo legal, hein?

Às vezes ofereciam aos amigos, e às vezes não.

— A gente merece esse queijo — disse Hem. — A gente trabalhou duro e durante um tempão para achar. — Em seguida pegou mais um pedaço e comeu.

Depois Hem caiu no sono, como fazia com freqüência.

Toda noite os homenzinhos iam bamboleando para casa, cheios de Queijo, e toda manhã voltavam cheios de confiança para pegar mais.

Isso aconteceu durante um bom tempo.

Pouco a pouco a confiança de Hem e Haw se transformou na arrogância do sucesso. Logo ficaram tão tranqüilos que nem notaram o que estava acontecendo.

Enquanto o tempo passava, Sniff e Scurry continuavam sua rotina. Chegavam a cada manhã, farejavam, raspavam e corriam pelo Posto de Queijo Q, inspecionando a área para ver se havia acontecido alguma mudança desde o dia anterior. Depois se sentavam para roer o queijo.

Um dia eles chegaram ao Posto Q e descobriram que não havia mais queijo.

Não ficaram surpresos. Como Sniff e Scurry tinham notado que o estoque de queijo vinha diminuindo a cada dia, estavam preparados para o inevitável e sabiam instintivamente o que fazer.

Olharam um para o outro, tiraram os tênis que tinham pendurado convenientemente no pescoço, calçaram e amarraram.

Os ratos não analisaram demais as coisas.

Para eles, o problema e a resposta eram simples: a situação no Posto Q tinha mudado. Assim, Sniffy e Scurry decidiram mudar.

Os dois olharam para o labirinto. Então Sniff levantou o focinho, farejou e balançou a cabeça num sinal afirmativo para Scurry, que partiu correndo, enquanto Sniff ia atrás o mais rápido possível.

Num instante estavam em busca de Queijo Novo.

Mais tarde Hem e Haw chegaram ao Posto de Queijo Q. Não tinham prestado atenção às pequenas mudanças que vinham acontecendo a cada dia, por isso davam como certo que seu Queijo estaria lá.

Não estavam preparados para o que encontraram.

— O quê? Não tem queijo? — gritou Hem. E continuou a gritar: — Não tem queijo? Não tem queijo? — como se, gritando muito, alguém fosse colocar o queijo de volta.

— Quem mexeu no meu queijo? — berrou.

Finalmente pôs as mãos nos quadris, com o rosto vermelho, e gritou o mais alto que pôde:

— Isso não é justo!

Haw apenas balançou a cabeça, sem acreditar. Ele também tinha achado que encontraria o Queijo no Posto Q. Ficou ali parado um tempão, imobilizado pelo choque. Simplesmente não estava preparado para isso.

Hem estava gritando alguma coisa, mas Haw não queria ouvir. Não queria encarar o que acontecia, por isso simplesmente "saiu do ar".

O comportamento dos homenzinhos não era muito bonito nem produtivo, mas dava para entender.

Achar Queijo não era fácil, e significava muito mais para os homenzinhos do que simplesmente ter o bastante para comer todo dia.

Achar Queijo era seu modo de conseguir o que consideravam necessário para ser felizes. Os homenzinhos tinham suas próprias idéias do que o Queijo significava para eles, dependendo de seu gosto.

Para alguns, achar Queijo era ter coisas materiais, ser um grande atleta ou um astro famoso. Para outros era se dar bem na escola, ter um relacionamento maravilhoso ou se sentir bem consigo mesmo.

Para Haw, o Queijo significava sentir segurança, ter uma família amorosa algum dia e morar num chalé confortável na rua Cheddar.

Para Hem, o Queijo era se tornar um figurão, comandar outras pessoas e ter uma casa grande em cima da Colina Camembert.

Como o Queijo era importante para eles, os dois homenzinhos passaram muito tempo tentando decidir o que fariam. Só conseguiam pensar em ficar olhando pelo Posto Q, vazio, para ver se o Queijo realmente havia sumido.

Enquanto Sniff e Scurry seguiram em frente, Hem e Haw continuaram indecisos.

Reclamavam daquela injustiça. Haw começou a ficar deprimido. O que aconteceria se o Queijo não estivesse ali no dia seguinte? Ele tinha feito planos para o futuro baseado naquele Queijo.

Os homenzinhos não podiam acreditar. Como isso tinha acontecido? Ninguém avisou antes. Não estava certo. Não era assim que as coisas deviam acontecer.

Naquela noite Hem e Haw foram para casa com fome e desanimados. Mas antes de saírem, Haw escreveu na parede:

Quanto mais importante seu queijo é para você, menos você quer abrir mão dele.

No dia seguinte Hem e Haw saíram de casa e voltaram ao Posto Q, onde ainda esperavam, não se sabe como, encontrar seu Queijo.

A situação não tinha mudado, o Queijo não estava mais lá. Os homenzinhos não sabiam o que fazer. Hem e Haw simplesmente ficaram ali parados, imóveis como duas estátuas.

Haw fechou os olhos com força e pôs as mãos em cima das orelhas. Só queria manter tudo aquilo fora da cabeça. Não queria saber que o Queijo havia diminuído pouco a pouco. Acreditava que ele tinha sido tirado subitamente do lugar.

Hem analisou a situação um monte de vezes e por fim seu cérebro complicado, com seu enorme sistema de crenças, assumiu o controle.

— Por que fizeram isso comigo? — perguntou. — O que está realmente acontecendo?

Por fim Haw abriu os olhos, olhou em volta e disse:

— Por sinal, onde é que estão Sniff e Scurry? Você acha que eles sabem alguma coisa que nós não sabemos?

Hem zombou:

— O que eles iriam saber? Eles não passam de ratos — continuou Hem. — Só reagem ao que acontece. A gente deveria ser capaz de deduzir isso.

— Eu sei que nós somos mais inteligentes, mas parece que não estamos agindo com inteligência nesse momento.

As coisas estão mudando por aqui, Hem. Talvez tenhamos de mudar e fazer as coisas de outro modo.

— Por que deveríamos mudar? Nós somos homenzinhos. Somos especiais. Esse tipo de coisa não deveria acontecer conosco. E, se acontecesse, deveríamos ao menos receber algum benefício.

— Por quê? — perguntou Haw.

— Porque temos direito.

— Direito a quê?

— Temos direito ao nosso Queijo.

— Por quê?

— Porque não fomos nós que causamos o problema. Alguém fez isso, e deveríamos receber alguma coisa em troca.

— Talvez a gente devesse simplesmente parar de analisar tanto a situação e ir procurar um Queijo Novo, não é? — sugeriu Haw.

— Ah, não. Eu vou tirar isso a limpo.

Enquanto Hem e Haw ainda estavam tentando decidir o que fariam, Sniff e Scurry já estavam a caminho. Entraram mais fundo no labirinto, vasculhando corredores, procurando queijo em cada Posto de Queijo que encontrassem.

Não pensavam em mais nada, só em achar Queijo Novo.

Durante um tempo não acharam nenhum, até que finalmente chegaram a uma área do labirinto onde nunca tinham estado: O Posto de Queijo N.

Guincharam de alegria. Tinham achado o que procuravam: um grande suprimento de Queijo Novo.

Mal podiam acreditar em seus olhos. Era o maior estoque de queijo que os ratos tinham visto.

Enquanto isso Hem e Haw ainda estavam no Posto Q avaliando sua situação. Agora sofriam os efeitos de não ter queijo. Estavam ficando frustrados e com raiva, e cada um culpava o outro pelo que se passava.

De vez em quando Haw pensava em seus amigos ratos, Sniff e Scurry, e imaginava se já teriam achado algum queijo. Acreditava que estariam tendo dificuldade, já que correr pelo labirinto costumava ser um negócio inseguro. Mas também sabia que isso provavelmente só demoraria algum tempo.

Algumas vezes Haw imaginava Sniff e Scurry achando Queijo Novo e comendo com prazer. Pensava em como seria bom estar numa aventura no labirinto e achar um Queijo Novo e fresco. Quase podia sentir o gosto.

Quanto maior era a clareza com que Haw via sua própria imagem achando e saboreando o Queijo Novo, mais se via saindo do Posto Q.

— Vamos embora! — exclamou, de repente.

— Não — respondeu Hem. — Eu gosto daqui. É confortável. É o que eu conheço. Além disso, lá fora é perigoso.

— Não, não é. Nós já percorremos muitas partes do labirinto antes, e podemos ir de novo.

— Eu estou velho demais para isso. E acho que não estou a fim de me perder e bancar o idiota. Você está?

Ouvindo isso, Haw sentiu de novo o medo de fracassar, e sua esperança de achar um Queijo Novo diminuiu.

De modo que todo dia os homenzinhos continuavam a fazer o que tinham feito antes. Iam ao Posto de Queijo Q, não achavam Queijo e voltavam para casa, levando suas preocupações e frustrações.

Tentavam negar o que estava acontecendo, mas achavam cada vez mais difícil dormir, tinham menos energia no dia seguinte, e se irritavam cada vez mais.

Suas casas não eram os lugares acolhedores de antigamente. Os homenzinhos tinham dificuldade para dormir e estavam tendo pesadelos nos quais nunca mais achavam Queijo.

Mas mesmo assim Hem e Haw voltavam ao Posto Q e esperavam ali todos os dias.

— Sabe, se a gente se esforçasse mais, descobriria que na verdade nada mudou tanto assim — disse Hem.

— O Queijo provavelmente está perto. Talvez só esteja escondido atrás da parede.

No dia seguinte Hem e Haw voltaram com ferramentas. Hem segurava o cinzel enquanto Haw batia com a marreta até que fizeram um buraco na parede do Posto Q. Olharam para dentro mas não encontraram nenhum Queijo.

Ficaram desapontados, mas acharam que poderiam resolver o problema. Por isso começavam mais cedo, ficavam por mais tempo e trabalhavam com mais empenho. Mas depois de um tempo só tinham um buraco maior na parede.

Haw estava começando a perceber a diferença entre atividade e produtividade.

— Talvez a gente devesse simplesmente sentar aqui e ver o que acontece — disse Hem. — Cedo ou tarde vão ter de colocar o Queijo de volta.

Haw queria acreditar nisso. E a cada dia ia para casa descansar e de má vontade voltava com Hem ao Posto Q. Mas o Queijo nunca aparecia de novo.

Agora os homenzinhos se sentiam fracos de fome e estresse. Haw estava se cansando de esperar que a situação melhorasse. Começou a ver que, quanto mais tempo ficassem sem Queijo, pior seria.

Sabia que estavam perdendo a capacidade.

Por fim, um dia Haw começou a rir de si mesmo.

— Ha, ha, olhe para a gente. A gente fica fazendo a mesma coisa de novo e de novo, e imagina por que a situação não melhora. Se isso não fosse tão ridículo, seria ainda mais engraçado.

Haw não gostava da idéia de ter de correr pelo labirinto de novo, porque sabia que iria se perder e não tinha idéia de onde acharia Queijo. Mas tinha de rir de sua idiotice quando viu o que o medo estava fazendo com ele.

Perguntou a Hem:

— Onde a gente colocou os tênis?

Demoraram um bocado para achar, porque tinham posto tudo de lado quando acharam o Queijo no Posto Q, imaginando que não precisariam mais daquilo.

Enquanto via o amigo pondo o equipamento de corrida, Hem falou:

— Você não vai mesmo para o labirinto de novo, vai? Por que não espera aqui comigo até eles colocarem o Queijo de volta?

— Você não entende — disse Haw. — Eu também não queria enxergar, mas agora sei que nunca mais vão colocar de volta o Queijo Antigo. Está na hora de achar um Queijo Novo.

— Mas e se não houver Queijo lá fora? E se houver, e se você não achar?

— Não sei. — Haw tinha feito a si mesmo essas mesmas perguntas muitas vezes, e sentiu outra vez o medo que o mantinha onde estava.

Voltou a se perguntar:

— Onde é mais provável achar queijo: aqui ou no labirinto?

Pintou uma imagem na mente. Via a si mesmo se aventurando no labirinto com um sorriso no rosto.

Ao mesmo tempo em que o surpreendia, essa imagem fez com que se sentisse bem. Ele se via perdido de vez em quando no labirinto, mas tinha confiança em que acabaria achando um Queijo Novo e todas as coisas boas que vinham com isso. Juntou a coragem.

Depois usou a imaginação para criar a imagem mais coerente que conseguiu — com os detalhes mais realistas — em que ele encontrava o Queijo Novo e curtia o sabor.

Viu-se comendo queijo suíço com buracos, Cheddar alaranjado e queijo Americano, Mozzarela e um Camembert francês macio e maravilhoso, e...

Então ouviu Hem dizer alguma coisa e percebeu que ainda estavam no Posto Q.

— Algumas vezes, Hem, as coisas mudam e nunca mais são as mesmas — disse Haw. — Esta ocasião parece ser assim. É a vida! A vida vai em frente. E a gente também deveria ir.

Haw olhou para seu companheiro pálido e tentou fazer com que ele pensasse. Mas o medo de Hem tinha se transformado em raiva, e ele não queria ouvir.

Haw não queria ser grosseiro com o amigo, mas teve de rir ao ver como os dois pareciam idiotas.

Enquanto se preparava para ir embora, começou a se sentir mais vivo, sabendo que finalmente podia rir de si mesmo, libertar-se e ir em frente.

Riu e anunciou:

— Está... na hora... do Labirinto!

Hem não riu nem respondeu.

Haw pegou uma pedra pequena e afiada e escreveu um pensamento sério na parede, para Hem pensar a respeito, esperando que isso ajudasse o amigo a ir atrás do Queijo Novo.

A frase era:

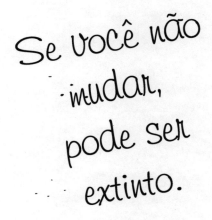

Então Haw pôs a cabeça para fora e olhou ansioso para o labirinto. Pensou em como tinha ficado naquela situação sem Queijo.

Tinha acreditado que talvez não houvesse Queijo nenhum no labirinto, ou que talvez não o encontrasse. Estava sendo imobilizado e morto por essas crenças amedrontadoras.

Sorriu. Sabia que Hem estava se perguntando: "Quem mexeu no meu queijo?", mas Haw estava pensando: "Por que eu não me mexi e fui procurar o Queijo antes?

Enquanto saía para o labirinto, Haw olhou para trás, para o lugar de onde tinha vindo, e sentiu o conforto que havia ali. Podia se sentir atraído de volta ao território familiar — mesmo que não tivesse achado Queijo naquele lugar durante um bom tempo.

Ficou mais ansioso e imaginou se realmente queria sair para o labirinto. Escreveu uma frase na parede à sua frente e ficou olhando durante alguns minutos:

O que você faria se não tivesse medo?

Pensou nisso.

Sabia que algumas vezes o medo pode ser bom. Quando você sente medo de que as coisas possam piorar se você não tomar alguma atitude, ele pode provocá-lo a agir. Mas não é bom quando você tem tanto medo que ele o impede de fazer qualquer coisa.

Olhou à direita, para a parte do labirinto onde nunca tinha estado, e sentiu o medo.

Depois respirou fundo, virou à direita e correu devagar, para o desconhecido.

Enquanto tentava achar o caminho, Haw se preocupou, a princípio, com a possibilidade de ter esperado demais no Posto Q. Não comia Queijo há tanto tempo que estava fraco. Percorrer o labirinto demorava mais e era mais doloroso do que antigamente.

Decidiu que, se tivesse a chance de novo, sairia de sua zona de conforto e se adaptaria mais cedo à mudança. Isso tornaria as coisas mais fáceis.

Então deu um sorriso fraco, pensando: "Antes tarde do que nunca."

Nos próximos dias Haw achou um pouquinho de Queijo aqui e ali, mas nada que durasse muito. Tinha esperado achar queijo suficiente para levar um pouco de volta a Hem e encorajá-lo a sair para o labirinto.

Mas Haw ainda não sentia confiança suficiente. Tinha de admitir que achava o labirinto confuso. As coisas pareciam ter mudado desde a última vez em que tinha estado ali.

Justo quando pensava que estava indo em frente, se perdia nos corredores. Parecia que seu progresso era de dois passos adiante e um para trás. Era um desafio, mas estava de volta ao labirinto, procurando Queijo, e não era tão ruim quanto havia temido.

À medida que o tempo passava, começou a pensar se era realista imaginar que encontraria Queijo Novo. Perguntou a si mesmo se tinha abocanhado mais do que poderia mastigar. Depois riu, percebendo que não tinha o que mastigar naquele momento.

Sempre que começava a ficar desencorajado, lembrava a si mesmo do que estava fazendo; por mais que aquilo fosse desconfortável na hora, era muito melhor do que ficar sem Queijo. Estava assumindo o controle, em vez de simplesmente deixar que as coisas acontecessem.

Depois se lembrou: se Sniff e Scurry podiam ir em frente, ele também podia!

Mais tarde, enquanto pensava bem, Haw percebeu que o Queijo no Posto Q simplesmente não tinha desaparecido da noite para o dia, como havia acreditado. Perto do fim, a quantidade de Queijo estava ficando menor, e o que restava envelheceu. O gosto não era mais tão bom.

Podia até estar crescendo mofo no Queijo Antigo, mas ele não tinha notado. Mas reconhecia que, se quisesse, provavelmente teria visto o que iria acontecer. Mas não quis.

Agora Haw percebia que a mudança não o teria apanhado de surpresa se ele estivesse olhando o que estava acontecendo o tempo todo e se tivesse antecipado a mudança. Talvez fosse isso que Sniff e Scurry tinham feito.

Decidiu que de agora em diante ficaria mais alerta. Esperaria a mudança acontecer e ficaria atento a ela. Confiaria nos instintos básicos para sentir quando uma mudança iria acontecer e estaria pronto para se adaptar.

Parou para descansar e escreveu na parede do labirinto:

Cheire o Queijo com freqüência para saber quando ele está ficando velho.

Algum tempo depois, não tendo encontrado Queijo durante o que pareceu um longo tempo, Haw finalmente chegou a um gigantesco Posto de Queijo, que parecia promissor. Mas quando entrou ficou tremendamente desapontado ao descobrir que estava vazio.

— Essa sensação de vazio aconteceu comigo com muita freqüência — pensou. Sentiu vontade de desistir.

Estava perdendo a força física. Sabia que estava desorientado e com medo de não sobreviver. Pensou em dar a volta e retornar ao Posto Q. Pelo menos, se conseguisse voltar, e se Hem ainda estivesse lá, não ficaria sozinho. Depois se fez de novo a mesma pergunta: "O que eu faria se não estivesse com medo?"

Haw achava que tinha superado o medo, mas se amedrontava com mais freqüência do que queria admitir. Nem sempre tinha certeza do que lhe dava medo, mas, em sua situação de fraqueza, agora percebia que simplesmente estava com medo de ir em frente sozinho. Não sabia, mas estava ficando para trás porque ainda sentia o peso das crenças amedrontadoras.

Imaginou se Hem tinha se mexido, ou se ainda estava paralisado pelos medos. Depois se lembrou das ocasiões em que se sentia melhor no labirinto. Era quando estava em movimento.

Escreveu na parede, sabendo que era um lembrete para si mesmo e também um sinal que esperava que seu amigo Hem seguisse:

O movimento numa
nova direção
ajuda você a achar
Queijo Novo.

Haw olhava pelo corredor escuro e tinha consciência do medo. O que havia lá na frente? O lugar estaria vazio? Ou, pior, haveria algum perigo à espreita? Começou a imaginar todo tipo de coisas apavorantes que poderiam lhe acontecer. Estava morrendo de medo.

Depois riu de si mesmo. Percebeu que os medos estavam piorando as coisas. Então fez o que faria se não tivesse medo. Foi numa nova direção.

Começou a sorrir, enquanto corria pela passagem escura. Ainda não tinha notado, mas estava descobrindo o que alimentava sua alma. Estava se libertando e confiando no que havia lá adiante para ele, mesmo não sabendo exatamente o que era.

Para sua surpresa, começou a gostar cada vez mais de si mesmo. "Por que estou me sentindo tão bem?", perguntou-se. "Não tenho nenhum Queijo, e não sei para onde estou indo."

Em pouco tempo soube por que se sentia bem.

Parou para escrever de novo na parede:

Quando você vence
o seu medo,
se sente bem!

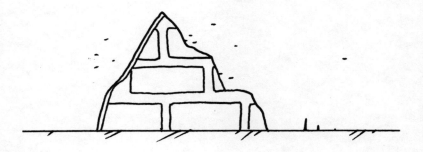

Haw percebeu que tinha sido prisioneiro de seu próprio medo. Ir numa nova direção o libertou.

Agora sentia a brisa fresca que soprava nessa parte do labirinto, e ela era refrescante. Respirou fundo algumas vezes e se sentiu revigorado pelo movimento. Assim que superou o medo, aquilo se mostrou mais agradável do que ele acreditava que poderia ser.

Não se sentia assim há muito tempo. Quase tinha se esquecido de como era divertido procurar.

Para melhorar ainda mais, começou a pintar de novo uma imagem na mente. Viu-se em detalhes muito realistas, sentado no meio de uma pilha de todos os seus queijos prediletos: do Cheddar ao Brie! Via-se comendo os muitos queijos que apreciava, e gostou do que viu. Depois imaginou como iria desfrutar todos aqueles sabores fantásticos.

Quanto maior era a clareza com que via a imagem de si mesmo saboreando Queijo Novo, mais real ela se tornava. Podia sentir que ia achá-lo.

Escreveu:

Imaginar que você saboreia Queijo Novo leva-o até ele.

Haw continuou a pensar no que poderia ganhar, e não no que poderia perder.

Questionou por que sempre tinha pensado que uma mudança levaria a alguma coisa pior. Agora sabia que a mudança poderia levar a uma coisa melhor.

— Por que não vi isso antes? — perguntou a si mesmo.

Depois correu pelo labirinto com mais energia e agilidade. Em pouco tempo viu um Posto de Queijo e ficou empolgado ao notar pedacinhos de Queijo Novo perto da entrada.

Eram tipos de Queijo que nunca tinha visto, mas pareciam ótimos. Experimentou e descobriu que eram deliciosos. Comeu a maior parte dos pedaços de Queijo Novo que havia por ali e pôs alguns no bolso para comer mais tarde, e talvez dividir com Hem. Começou a recuperar as forças.

Entrou no Posto de Queijo com grande empolgação. Mas, para seu desânimo, descobriu que estava vazio. Alguém já havia estado ali, e tinha deixado apenas aqueles pedacinhos de Queijo Novo.

Percebeu que, se tivesse se mexido mais cedo, provavelmente teria achado uma boa quantidade de Queijo Novo ali.

Decidiu voltar e ver se Hem estava pronto para se juntar a ele.

Enquanto retornava, parou e escreveu na parede:

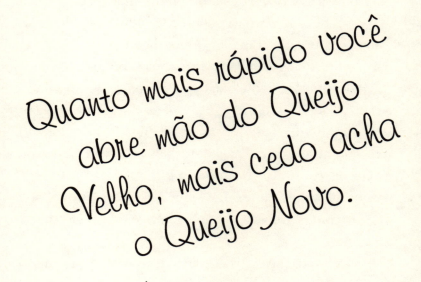

Quanto mais rápido você abre mão do Queijo Velho, mais cedo acha o Queijo Novo.

Depois de um tempo Haw voltou ao Posto de Queijo Q e achou Hem. Ofereceu a ele uns pedaços de Queijo Novo, mas ficou decepcionado.

Hem agradeceu o gesto do amigo mas disse:

— Acho que eu não gostaria do Queijo Novo. Não estou acostumado com ele. Quero meu Queijo de volta e não vou mudar até conseguir o que eu quero.

Haw simplesmente balançou a cabeça, desapontado, e com relutância voltou sozinho. Enquanto retornava ao ponto mais distante que tinha alcançado no labirinto, sentiu falta do amigo, mas percebeu que gostava do que estava descobrindo. Mesmo antes de achar o que esperava que fosse um grande estoque de Queijo Novo, se é que ia achar, sabia que sua felicidade não estava somente em ter Queijo.

Estava feliz quando não era dominado pelo medo. Gostava do que estava fazendo agora.

Sabendo disso, Haw não se sentia tão fraco como na época em que ficou no Posto Q sem Queijo. Só o fato de perceber que não ia deixar seu medo impedi-lo, e de saber que tinha tomado uma nova direção, alimentava-o e lhe dava forças.

Agora sentia que era apenas questão de tempo antes de achar aquilo que precisava. De fato, sentia que já havia encontrado o que estava procurando.

Sorriu enquanto percebia:

É mais seguro procurar no labirinto do que ficar parado num lugar sem Queijo.

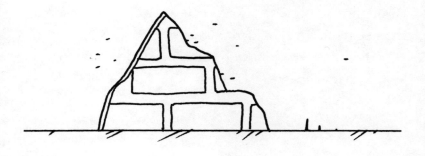

Haw percebeu de novo, como tinha notado antes, que aquilo de que a gente tem medo nunca é tão ruim quanto se imagina. O medo que você deixa crescer na mente é pior do que a situação que existe de verdade.

Tinha sentido tanto medo de nunca achar Queijo Novo que nem quis começar a procurar. Mas desde que tinha iniciado a viagem havia encontrado Queijo suficiente nos corredores para ir adiante. Agora estava ansioso para achar mais. Só olhar em frente já era empolgante.

Seu velho pensamento tinha sido turvado pelas preocupações e pelos medos. Ficava pensando em não ter Queijo suficiente, ou na hipótese de o Queijo não durar tanto quanto queria. Costumava pensar mais no que poderia dar errado do que no que poderia dar certo.

Mas isso tinha mudado desde que ele havia saído do Posto Q.

Antes acreditava que o Queijo nunca seria tirado do lugar e que mudá-lo não era certo.

Agora percebia que era natural que a mudança acontecesse continuamente, quer a gente esperasse ou não. A mudança só poderia surpreendê-lo se ele não a esperasse e se não estivesse atento a ela.

Quando percebeu que tinha mudado suas crenças, parou para escrever na parede:

Velhas crenças não levam a gente ao Queijo Novo.

Ainda não tinha achado Queijo, mas enquanto corria pelo labirinto pensava no que já havia aprendido.

Agora Haw percebia que suas novas crenças estavam encorajando novos comportamentos. Estava se comportando de modo diferente de quando ficava voltando à mesma situação sem Queijo.

Sabia que, quando a gente muda aquilo em que acredita, muda o que faz.

Você pode acreditar que uma mudança vai prejudicá-lo, e resistir a ela. Ou pode acreditar que achar Queijo Novo vai ajudá-lo, e então acolher a mudança.

Tudo depende daquilo em que a gente escolhe acreditar.

Escreveu na parede:

Quando a gente vê que
pode achar e apreciar
Queijo Novo,
muda de direção.

Sabia que estaria em melhor condição se tivesse enfrentado a mudança muito mais cedo e deixado antes o Posto Q. Estaria se sentindo mais forte no corpo e no espírito, e poderia ter encarado melhor o desafio de achar Queijo Novo. Na verdade, provavelmente já teria encontrado, se tivesse esperado a mudança, em vez de perder tempo negando que a mudança já havia acontecido.

Usou a imaginação de novo e se viu achando e saboreando Queijo Novo. Decidiu ir para as partes mais desconhecidas do labirinto, e encontrou pedacinhos de queijo aqui e ali. Começou a recuperar a força e a confiança.

Enquanto pensava no lugar de onde tinha vindo, ficou feliz por ter escrito em muitos locais na parede. Achava que isso serviria como uma trilha para Hem seguir pelo labirinto, se algum dia ele optasse por sair do Posto Q.

Haw só esperava que estivesse indo na direção certa. Pensava na possibilidade de Hem ler os escritos na parede e achar o caminho.

Escreveu na parede uma coisa em que vinha pensando há algum tempo:

Notar cedo as pequenas mudanças ajuda a gente a se adaptar às grandes mudanças que virão.

Agora Haw estava livre do passado, e se adaptando ao presente.

Continuou pelo labirinto com mais força e velocidade. E em pouco tempo a coisa aconteceu.

Quando parecia que estava no labirinto há séculos, sua viagem — ou pelo menos essa parte da viagem — terminou rápida e alegremente.

Haw seguia por um corredor que era novo para ele, virou uma esquina e achou Queijo Novo no Posto de Queijo N!

Quando entrou, ficou espantado com o que viu. Empilhado em toda parte havia o maior estoque de Queijo que já havia encontrado. Não reconheceu tudo que via, já que alguns tipos de Queijo eram novos para ele.

Então se perguntou por um momento se aquilo era real ou apenas sua imaginação, até que viu seus velhos amigos Sniff e Scurry.

Sniff deu as boas-vindas a Haw cumprimentando-o com a cabeça, e Scurry balançou a pata. As barrigas gordas mostravam que eles estavam ali havia um bom tempo.

Haw disse olá rapidamente e logo começou a pegar pedaços de todos os seus queijos prediletos. Tirou os tênis, amarrou os cordões juntos e os pendurou no pescoço, para o caso de precisar de novo.

Sniff e Scurry riram. Balançaram a cabeça, admirados. Então Haw pulou no Queijo Novo. Quando tinha comido bastante, levantou um pedaço de queijo fresco e fez um brinde:

— Viva a Mudança!

Enquanto saboreava o Queijo Novo, Haw refletiu no que tinha aprendido.

Percebeu que, quando sentia medo de mudar, estava se agarrando à ilusão do Queijo Velho que não estava mais lá.

Então, o que o tinha feito mudar? Seria o medo de morrer de fome? Sorriu, pensando que isso certamente havia ajudado.

Então gargalhou e percebeu que tinha começado a mudar assim que aprendeu a rir de si mesmo e do que estava fazendo errado. Percebeu que o modo mais rápido de mudar é rir de sua própria idiotice — então você pode se libertar e ir rapidamente adiante.

Sabia que tinha aprendido com seus amigos ratos, Sniff e Scurry, uma coisa útil sobre a mudança. Eles mantinham a vida simples. Não analisavam  exageradamente nem complicavam demais as coisas. Quando a situação mudou e o Queijo foi retirado, eles mudaram e foram procurá-lo. Iria se lembrar disso.

Também tinha usado seu cérebro maravilhoso para fazer o que os homenzinhos faziam melhor do que os ratos.

Ele se visualizou — em detalhes realistas — achando uma coisa melhor. Muito melhor.

Refletiu nos erros que tinha cometido e os usou para planejar o futuro. Sabia que podemos aprender a enfrentar a mudança.

Podemos ter mais consciência da necessidade de manter as coisas simples, ser flexível e agir rapidamente.

Não precisa complicar demais as coisas nem se confundir com crenças amedrontadoras.

Podemos perceber quando as pequenas mudanças começam, de modo a estar mais preparados para a grande mudança que possa estar vindo.

Ele sabia que precisava se adaptar mais rápido, porque se não nos adaptamos a tempo, talvez não nos adaptaremos nunca.

Haw descobriu que o maior obstáculo para a mudança está dentro de nós, e que nada melhora enquanto não mudamos.

Talvez, ainda mais importante, ele percebeu que sempre existe Queijo Novo por aí, quer o reconheçamos na hora ou não. E que somos recompensados quando superamos o medo e curtimos a aventura.

Ele sabia que alguns medos deviam ser respeitados, já que o medo pode nos afastar do perigo verdadeiro. Mas percebia que a maior parte dos seus medos eram irracionais, e que o tinham impedido de mudar quando ele precisava.

Na ocasião ele não gostou disso, mas sabia que a mudança acabou sendo uma bênção disfarçada, já que o levou a achar Queijos melhores.

Até mesmo encontrou uma parte melhor de si mesmo.

Enquanto se lembrava do que tinha aprendido, Haw pensou em seu amigo Hem. Imaginou se Hem tinha lido alguma frase que ele havia escrito na parede do Posto Q e pelos muros do labirinto.

Será que Hem tinha decidido se libertar e ir em frente? Será que tinha entrado no labirinto e descoberto o que torna a vida melhor?

Ou será que ainda estava hesitante porque não queria mudar?

Haw pensou em voltar de novo ao Posto Q para ver se achava Hem — presumindo que pudesse encontrar o caminho de volta até lá. Se achasse Hem, imaginava que talvez pudesse lhe mostrar um jeito de sair daquela dificuldade. Mas percebeu que já havia tentado fazer com que o amigo mudasse.

Hem precisava achar seu próprio caminho, para além dos confortos e dos medos. De algum modo precisava enxergar sozinho a vantagem de mudar.

Haw sabia que tinha deixado uma trilha para Hem, e que ele poderia achar o caminho, se ao menos lesse os Escritos na Parede.

Escreveu na parede maior do Posto de Queijo N um resumo do que tinha aprendido. Sorriu enquanto olhava:

OS ESCRITOS NA PAREDE

Mudanças acontecem
O Queijo está sempre sendo tirado do lugar

Antecipe a mudança
Esteja preparado para o caso de o Queijo não estar no lugar

Monitore a mudança
Cheire o Queijo com freqüência, para saber quando ele está ficando velho

Adapte-se rapidamente à mudança
Quanto mais rápido você abre mão do Queijo Antigo, mais cedo pode saborear o Queijo Novo

Mude
Saia do lugar, assim como o Queijo

Aprecie a mudança!
Curta a aventura e sinta o gosto do Queijo Novo!

Esteja preparado para mudar rapidamente e aprecie isso todas as vezes
O Queijo continua sendo tirado do lugar

Haw percebeu como tinha chegado longe desde que estava com Hem no Posto de Queijo Q, mas sabia que seria fácil ter uma recaída caso se sentisse confortável demais. Assim, a cada dia inspecionava o Posto N para ver o estado de seu Queijo. Faria todo o possível para evitar ser surpreendido por mudanças inesperadas.

Enquanto ainda tinha um grande estoque de Queijo, Haw costumava sair no labirinto e explorar novas áreas, para ficar em contato com o que estava acontecendo em volta. Sabia que era mais seguro ter consciência de suas verdadeiras opções do que se isolar em sua área de conforto.

Então Haw ouviu o que imaginou serem sons de movimento no labirinto. À medida que o barulho ficava mais alto, percebeu que era alguém chegando.

Poderia ser Hem? Será que ele estava para virar a esquina?

Haw fez uma oração rápida e esperou — como tinha esperado tantas vezes — que talvez, finalmente, seu amigo tivesse sido capaz de...

Sair do lugar assim
como o queijo
e curtir isso!

Fim...

ou será um
novo começo?

Um debate

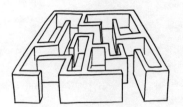

Um debate
Depois do lanche

Chris terminou a história no momento em que a campainha tocou, sinalizando o fim da hora do lanche.
— Esperem — disse Melanie. — Não sei se entendi direito essa história. Será que a gente pode se encontrar mais tarde, quem sabe na Sharky's?
— Eu topo — exclamou Kerry, e todo mundo concordou, menos Carl.
— Eu não — disse Carl a Kerry. — Essa noite tem um programa que eu estou a fim de ver.
— Você e a TV! — brincou Kerry. — Vejo o resto de vocês à noite — disse, enquanto o grupo saía da lanchonete e voltava às aulas.

Mais tarde, no início da noite, Chris foi o primeiro a chegar na Sharky's, a pizzaria do centro da cidade. Escolheu uma mesa grande e aconchegante nos fundos, em que cabia todo mundo.

Quando todos os outros chegaram, tiveram de escolher a cobertura da pizza, o que sempre rendia um debate gigantesco. Enquanto o grupo passava o pedido confuso para a garçonete, Ana falou:

— Você pode garantir que o queijo da nossa pizza seja de queijo novo, e não velho? Obrigada.

Todo mundo na mesa riu, e a garçonete se afastou balançando a cabeça.

— Eu pensei naquela história a tarde inteira — disse Melanie. — Com quem vocês acham que se parecem: Sniff, Scurry, Hem ou Haw?

— A gente tem de escolher só um? — perguntou Peter. — Algumas vezes eu sou que nem o Scurry, algumas vezes sou como o Hem, não sei.

— Eu acho que a gente é um personagem diferente em ocasiões diferentes — disse Ana, olhando para Chris em busca de aprovação.

— Não olhe para mim — disse Chris. — O que vocês entendem da história fica por conta de cada um.

— Eu acho que o queijo pode ser qualquer coisa que a gente queira — disse Kerry — ou que a gente acha que merece. O labirinto é o lugar onde a gente procura, tipo a escola ou nossa casa.

— Certo — disse Peter. — Entendi: queijo, labirinto, ratos. Mas como a gente usa realmente a história? Alguém pode dar um exemplo?

Como ninguém disse nada, Chris sugeriu:

— Eu posso. Vocês sabem que eu jogava basquete no primeiro grau. Eu não estabeleci nenhum recorde, mas era bastante bom. Então, quando vim pro segundo grau, tentei entrar no time. Não consegui, e a maioria era mais alta do que eu. Isso me fez notar uma coisa. Parecia que da noite para o dia meus amigos, inclusive você, Josh, estavam ficando mais altos e começando a fazer a barba, e coisas assim. Eu não estava. Ainda vestia calça do mesmo tamanho que eu usava na oitava série. As coisas estavam mudando em volta e eu odiei o que estava acontecendo, por isso fiz como o Hem. Fiquei dizendo: "Isso não é justo." — Chris olhou para Peter e Josh: — Enquanto vocês estavam convidando as garotas pra dançar, eu estava sentado no meu quarto.

— Então o que aconteceu? — perguntou Melanie.

— Bom, foi mais ou menos nessa época que eu ouvi a história do queijo. Depois disso mudei o modo como via o que estava acontecendo.

Ele olhou para Kerry, a garota alta que era estrela do time de basquete feminino, e disse:

— Ficou bastante claro que eu não ia ser chamado para um time da NBA. — Todo mundo riu. — Por isso decidi ser como o Haw e rir disso.

Parei de me levar tão a sério. Agora é engraçado pensar em quanto tempo eu desperdicei me preocupando com minha altura. Acho que eu vi o que estava escrito na parede. Não podia voltar ao velho posto de queijo: meus sonhos da oitava série, de ser um astro do basquete.

— Então o que você fez? — perguntou Melanie de novo.

— Então procurei queijo novo e fui em frente. E agora estou aqui, começando no time de futebol, uma coisa na qual eu nunca soube que seria bom. Só gostaria de ter ouvido a história antes.

Peter parecia cético.

— Espere um segundo. Você tá dizendo que captou tudo isso com aquela historinha?

— Não é a história. É o que eu entendi com ela. Eu vi as coisas de um modo diferente depois de ter escutado. Faz sentido?

— Seu queijo sumiu — começou Melanie. — Então você ouviu a história e se pegou agindo como o Hem. Aí teve uma sacação e mudou.

Chris assentiu, e alguns dos outros também. Josh parecia afundado em pensamentos.

— Isso me faz pensar em quando meu pai foi embora — disse ele, surpreendendo todo mundo. Josh quase nunca falava do pai. — Eu não fui o Sniff, porque não farejei o que estava acontecendo. Não vi que a coisa estava chegando.

Josh ficou quieto um momento, depois continuou:

— E eu não era o Scurry, porque não sabia o que fazer em seguida. Eu era o Hem, e ainda sou, acho. — Tomou um gole de refrigerante e baixou os olhos. — Esperando o queijo voltar, ou sei lá o quê.

Kerry passou o braço pelos ombros do amigo.

— Não acho que seja tarde demais para mudar.

— É — disse Melanie — e ser mais como Haw não significa que você tem de sair por aí rindo e procurando um pai novo.

— Talvez só signifique abrir mão do Queijo Antigo — observou Ana. — Abrir mão do modo como sua família era quando seu pai estava lá. E depois ir procurar Queijo Novo.

— O que você quer dizer com Queijo Novo? — perguntou Josh.

Melanie, cujos pais também eram divorciados, disse:

— Acho que um Queijo Novo é só um novo modo de olhar sua situação e agir de outro modo. Como deixar de ficar furioso com seu pai por ele ter ido embora, ou sempre ficar triste por causa de uma coisa que você não pode mudar.

— É — acrescentou Kerry. — Você não é responsável por ele ter ido embora, mas é responsável pelo modo como leva sua vida daí em diante. Talvez esteja na hora de sair do lugar e curtir o que você tem.

Ana cutucou a perna de Josh por baixo da mesa e disse:

— Tem de sair do lugar, assim como o queijo!

Todo mundo notou que Josh sorriu.

— Acho que eu passei muito tempo pensando no motivo de meu pai ter ido embora, e desejando que ele não tivesse ido, que nunca pensei em... sabe... ir em frente e não deixar que aquela mudança ferrasse minha vida inteira.

Chris podia ver que Josh queria algum tempo para pensar, por isso mudou de assunto.

— Alguns caras do time de futebol conhecem a história. Claro, alguns acham que é estúpida e nem se incomodam em aprender alguma coisa com ela.

"Mas alguns dos melhores jogadores dizem que ela ajudou a abrir mão de coisas que estavam prejudicando a capacidade de jogar.

"Além disso ela dá uma linguagem secreta para a gente usar. A gente fala: *Não dá uma de Hem! Vai fundo!*"

— Gosto disso — falou Kerry. — A gente poderia usar no nosso time feminino. Mas sabe, o que realmente ficou comigo da história foi aquela pergunta: o que você faria se não tivesse medo da mudança?

— Eu estaria no palco agora, com minha fantástica banda — disse Peter, e tocou um solo numa guitarra imaginária.

— Se eu não tivesse medo ia convidar o Luke para sair — disse Melanie, falando do cara de quem estava a fim o ano inteiro.

Em seguida se virou para Ana e disse:

— E você?

Ana pensou na pergunta um segundo. Finalmente admitiu:

— Provavelmente entraria no labirinto e ia meter a cara para o vestibular.

— Você ainda não começou? — perguntou Melanie, chocada.

Ana deu de ombros.

— Não. Eu não queria pensar na formatura porque não sei o que quero fazer. Além disso, tenho medo de ficar longe de vocês, vocês são meus melhores amigos.

— Você não vai ficar longe de nós. Não importa que mudanças aconteçam, alguns valores básicos, tipo a amizade, vão sempre ser os mesmos — disse Chris.

— Certo — concordou Melanie. — Mas quando as coisas mudam à nossa volta, é quando a gente tem de sair do lugar, assim como o queijo.

Ana admitiu:

— Acho que eu preciso deixar de ser uma Hem e virar Haw antes que meu queijo seja tirado do lugar na época da formatura. Mas não sei como.

— Talvez você devesse visualizar o Queijo Novo na cabeça, como o Haw fez — sugeriu Kerry.

— Não foi isso que ajudou o Haw a sair pro labirinto? — perguntou Melanie ao grupo. — Quando ele se imaginou achando uma coisa melhor, seu Queijo Novo?

Kerry sugeriu:

— Pensando bem, é isso que eu faço logo antes de mandar a bola para a cesta. Quanto maior for a clareza com que me vejo fazendo o lançamento, mais a bola tende a entrar.

— Então — disse Ana — se eu puder me visualizar na faculdade no ano que vem, me divertindo de montão, aprendendo coisas novas e fazendo novos amigos, todas as mudanças que eu terei de enfrentar daqui até lá vão parecer muito menos apavorantes.

Ela comeu um pedaço de pizza e tentou se ver numa faculdade.

— Pelo menos você pode admitir que tem medo — disse Melanie. — Algumas vezes eu acho que nem sei se estou com medo de mudar. Provavelmente escondo o medo debaixo de outras coisas.

— Como? — perguntou Peter.

— Bem, como a eleição no outono passado.

Um gemido se ergueu ao redor da mesa.

— A gente tem de falar nisso de novo? — perguntou Peter, pegando outro pedaço de pizza.

— Tem — disse Melanie. — Mas dessa vez com uma diferença. — Levantou os óculos e continuou: — Vejam só, eu tinha certeza de que ia ser eleita representante de turma. Por que não? Eu tenho as melhores notas. Nem pensei que teria de fazer alguma coisa pra isso acontecer. Eu já tinha feito o bastante. Encontrei o primeiro posto de queijo, não encontrei? Acho que fui muito arrogante!

"Então, por que eu perdi? Talvez se eu tivesse ouvido essa história antes, não estaria chateando vocês durante meses com minhas desculpas e discussões, dizendo que perdi a eleição porque na verdade é um concurso de popularidade, e que isso não foi justo.

"Bem, agora que olho para trás, vejo que eu era Hem, sentado naquele posto esperando o queijo ser colocado na minha frente. Quando o queijo não apareceu, foi culpa de outra pessoa. Anda, gente, diz: quando estava choramingando porque perdi, parecia o Hem?"

— Ah, só um pouquinho — disse Josh, rindo. Todo mundo também riu. — Mas a gente ficou ali, do seu lado. Acho que todos nós temos medo da mudança. É como se qualquer mudança que você não decidiu que devesse acontecer fosse automaticamente uma coisa ruim. Então, quando uma pessoa diz que a mudança é má idéia, todo mundo concorda. Como uma pressão da sociedade.

— Quanto mais penso em quem sou na história — disse Melanie —, mais vejo o verdadeiro motivo de ter perdido a eleição. Eu simplesmente decidi que ser representante ia ser bom para o meu currículo. Assim, fiquei sentada no meu confortável posto de queijo, esperando, enquanto deveria estar no labirinto, farejando e correndo. Desse jeito teria descoberto que tipo de representante de turma todo mundo queria.

"Se tivesse sido mais como Haw, poderia ver o que estava fazendo de errado, rir de mim mesma e mudar o que estava fazendo, e me dar muito melhor. Mas não fiz... que estupidez!"— disse Melanie, balançando a cabeça.

— Ei, sempre tem o ano que vem — disse Kerry. Peter riu.

— Votem em Haw para presidente! — disse, fazendo Melanie sorrir.

Josh finalmente fez a pergunta que estava na sua cabeça desde a hora do lanche.

— Vocês acham que Hem acabou mudando e achou seu Queijo Novo?

— Não sei — respondeu Kerry.

— Acho que não — disse Ana. — Algumas pessoas nunca mudam, e pagam um preço por isso.

— Olhem só para nós — disse Melanie aos amigos. — A maioria tem uma história de como não saímos do lugar quando o queijo sumiu, e de como isso acabou nos prejudicando no final.

— Ah, qual é! — exclamou Peter, ainda cético. — Vocês estão levando isso muito a sério. Há mudanças acontecendo todo dia. Tenho certeza de que a gente esteve lidando muito bem com elas nos últimos dezesseis anos sem precisar dessa história do queijo.

— Talvez as coisas pequenas — disse Melanie. — Mas e as grandes mudanças?

— Olha como a gente reagiu à mudança na escola hoje — interrompeu Kerry. — Nenhum de nós tinha farejado nada. Ninguém foi correndo descobrir qual era a nova programação. Em vez disso ficamos sentados no nosso confortável posto de queijo, anteriormente conhecido como lanchonete, só reclamando.

— Você está certo — concordou Ana. — E depois eu ouvi dizer que os primeiros caras que foram na diretoria perguntar sobre os novos horários puderam escolher o que queriam. Eles foram os Scurrys. Nós, os Hems, vamos acabar com um horário que a gente não queria.

Chris ficou satisfeito por estar quieto. Era muito interessante ver o que seus amigos obtinham com a história.

Peter olhou em volta e perguntou:

— Cadê o Carl?

— Disse que queria assistir a uma coisa na TV — respondeu Kerry. — Deu para ver que ele achou a história estúpida, pela cara dele, mas provavelmente Carl é um dos que mais precisam dela.

Melanie assentiu.

— Dá para ver por que Carl não está nessa. A história levanta algumas questões difíceis, como: de qual Queijo Antigo eu preciso abrir mão? E que Queijo Novo eu preciso procurar? Talvez ele não esteja preparado para encarar essas coisas agora.

— Carl me lembra de como eu era quando meus pais decidiram se mudar para cá — disse Kerry. — Eu não queria deixar meus velhos amigos e resisti totalmente à mudança. O negócio ficou feio.

Ana riu.

— Eu lembro. No início você se recusava a falar com todo mundo.

— Argh — gemeu Kerry, sem jeito, escondendo o rosto nas mãos. — Em vez de enfrentar a mudança, eu bati os pés no chão e agi que nem um bebê. Culpei meus pais por tudo e nem queria responder à professora quando ela fazia a chamada.

— Eu não sabia disso — disse Peter.

— Nem eu — ecoou Josh. — Estranho. Agora a gente não consegue fazer você parar de falar na aula.

Kerry chutou Josh por baixo da mesa.

— Eu gostaria de ter aberto mão do meu velho bairro e ido em frente mais cedo. Isso teria me economizado um monte de chateação.

Ana observou:

— O seu queijo foi tirado, e quando você finalmente enfrentou isso fez um grupo de amigos fantásticos, como euzinha aqui.

— Além disso — acrescentou Peter — você disse que ainda é amiga do pessoal da sua antiga cidade. Então tudo acabou saindo bem, não?

— Você está totalmente certo — respondeu Kerry. — Mas agora eu fico totalmente sem jeito vendo como agi. Acho que devo um pedido de desculpa aos meus pais.

Ana segurou o pedaço de pizza e disse:

— A história me fez pensar em Gavin.

A mesa ficou quieta. Gavin era o ex-namorado de Ana. Ele lhe tinha dado o fora, depois de um ano saindo juntos. Ela tentou de tudo para voltar com ele. Demorou um tempo enorme para superar a dor.

— Eu nunca admiti, nem para mim mesma, que nós tínhamos problemas desde o início — começou Ana.

— Aquele queijo tinha um mofo tremendo — interrompeu Josh, fazendo todo mundo rir.

— Eu estava doida por ele, e porque estava namorando um cara popular decidi não ver nada errado. Gavin era como Sniff, ele podia ver os problemas adiante. Então, como Haw, ele tentou falar comigo, mas eu agi como o Hem. Não queria escutar. Por fim ele me deixou para trás no velho posto de queijo e foi curtir seu queijo novo.

— Algumas vezes — disse Peter — a mudança simplesmente acontece. É como se o queijo tivesse vida própria e eventualmente acabasse.

— Acho que você está certo — suspirou Ana.

— O Queijo Antigo é como coisas antigas que você faz o tempo todo e nem pensa a respeito — observou Melanie. — Como um comportamento antigo que você precisa parar de ter.

— Vocês vivem dizendo que eu me levo a sério demais — disse Peter subitamente. — E que deveria parar de me preocupar com o que os outros pensam. Mas preciso dizer: se esse é o meu "Queijo Antigo", é realmente difícil parar de pensar assim.

— Talvez rir dos seus medos ajude — sugeriu Kerry.

— Funcionou para o Haw.

— Eu não sinto vontade de rir. — Peter balançou a cabeça. — Quero ser levado a sério como músico. Eu adoro tocar guitarra, mas me preocupo se não sou bom o bastante. Ou fico pensando que finalmente vou ter minha chance no palco e vou fazer a maior besteira.

Ana perguntou:

— Lembra o que a Melanie falou sobre como Haw pintava uma imagem na mente, em que se via saboreando o Queijo Novo? E como isso esclareceu tudo e fez com que ele atravessasse o labirinto? Pete, você poderia pintar uma imagem de seu Queijo Novo também.

— Então eu devo me visualizar entrando numa banda e fazendo shows?

— É o que você disse que faria se não tivesse medo da mudança — observou Chris.

— Está certo — admitiu Peter. — Acho que meu medo do fracasso me impediu de ser um sucesso. Isso é tão idiota quanto Hem ficando parado naquele posto de queijo.

— Você deveria formar sua própria banda — disse Melanie. — Foi o que Haw quis dizer quando escreveu *Saia do lugar, assim como o queijo, e curta a aventura*. Se você é quem está fazendo a mudança acontecer, você não sente medo dela.

— Tive uma idéia — disse Kerry. — Cada um pensa numa coisa que quer mais, e imagina seu Queijo Novo, e a gente fala disso amanhã no lanche, certo?

— É — concordou Chris. — E vamos ver se conseguimos envolver o Carl. Eu sei que ele sempre banca o durão, mas provavelmente está com mais medo do que qualquer um de nós.

— Legal — disse Ana. — Além disso eu quero ir para casa e contar essa história a meu pai e a minhas irmãs. Gostaria de saber que personagens eles acham que são, e qual seria o Queijo Novo da nossa família.

— Espero que esteja na geladeira, senão vai estar estragado — brincou Josh.

Nesse momento Melanie olhou para o relógio.

— Ah, não! Está ficando tarde, eu tenho de voltar para casa.

Melanie ligou para sua mãe enquanto os outros pagavam a conta. Então ela deixou uma boa gorjeta para a paciente garçonete.

Josh se espreguiçou.

— Está na hora de se mandar desse posto de queijo — falou, bocejando.

— Pode me dar uma carona pelo labirinto? — perguntou Ana, em tom de brincadeira.

— Para mim também — disse Kerry. — E você, Pete?

— Eu vou andar — respondeu Pete. — Tenho de pensar numas coisas.

Os amigos se separaram, despedindo-se ansiosos para falar mais sobre a história no dia seguinte e contá-la a outros amigos.

Enquanto saía, Josh parou e deu um rápido abraço de urso em Chris, levantando-o do chão. Quando Josh o colocou de pé de novo, Chris perguntou:

— Por que isso? — já que Josh raramente demonstrava algum afeto.

— Obrigado pela história, meu chapa — disse ele, rindo.

Chris sorriu de volta.

— Sem problema. — estava com a sensação de que as coisas iriam mudar para seus amigos, pelo menos para alguns.

Será que Josh estaria pronto para sair do lugar e superar a perda do pai? Será que Ana estudaria mais para o vestibular? Será que Peter poderia colocar as dúvidas de lado e se apresentar tocando? E quanto a Melanie e Kerry? Será que até Carl poderia mudar e entrar num bom curso profissionalizante? Ele era realmente bom em coisas mecânicas...

Então Chris percebeu que tudo o que Carl fizesse era coisa dele.

Quem sairia do lugar, assim como o queijo? Independentemente de quem fosse, ele sabia que estava pronto para saborear a aventura junto com os amigos.

Para saber mais, visite:
www.whomovedmycheese.com

Nota da editora

Os quatro personagens retratados em *Quem mexeu no meu queijo?* foram criados por Spencer Johnson para representar partes simples e complexas de nós mesmos. O nome de cada um deles remete ao seu comportamento e à sua personalidade. Sniff, que em portugês significa farejar, percebeu rápido a mudança. Scurry, que pode ser traduzido como apressar-se, tratou logo de correr na frente. O nome Haw faz uma referência a uma atitude reticente, hesitante. Inicialmente, ele não sabe o que fazer, mas, quando percebe que a mudança leva a algo melhor, rapidamente se adapta. Já o nome Hem faz uma alusão ao verbo enclausurar em inglês, uma vez que o personagem resiste à mudança por medo de que ela leve a uma coisa pior e então fica confinado naquela situação.

Este livro foi composto na tipografia
Palatino, em corpo 11,5/17, e impresso em
papel off-white, no Sistema Digital Instant Duplex
da Divisão Gráfica da Distribuidora Record.